卷心菜　纵六八厘米　横三四厘米

扁豆　纵三四厘米　横三四厘米

黄瓜　纵三四厘米　横四〇厘米

葡萄　纵二五.一厘米　横三四.一厘米

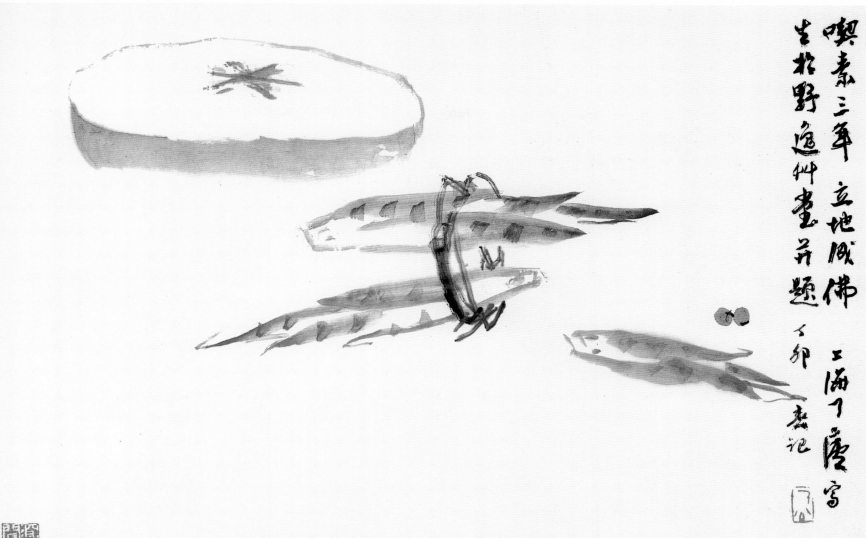

喫素三年　立地成佛　工餘了唐寫
生於野逸以畫并題　丁卯老記

冬笋　纵三四厘米　横三四厘米
香茄　纵六〇厘米　横三〇厘米

秋趣

上临了虚谷写生枝野逸峰

羽丙寅扰日

逸峰堂题

面包
螳螂　纵五四厘米　横三四厘米

双笋　纵三四厘米　横六八厘米

南瓜　纵二八厘米　横五〇厘米

山芋　纵三四厘米　横五〇厘米

刀豆　纵二〇厘米　横三四厘米

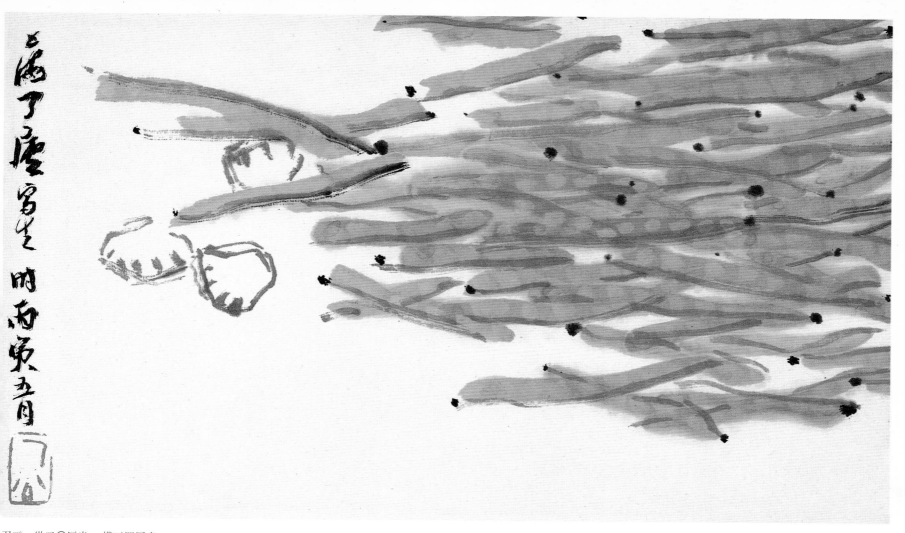

刀豆　纵二〇厘米　横三四厘米

图书在版编目（CIP）数据

了庐蔬果集／了庐编著. ——上海：上海画报出版社,2001
（名家精品丛书）
ISBN 7-80530-844-6

Ⅰ.了... Ⅱ.了... Ⅲ.静物画：写生画－作品集
－中国－现代 Ⅳ.J224

中国版本图书馆 CIP 数据核字（2001）第 082366 号

名家精品丛书

了庐蔬果册

责任编辑：邓 明
出版：上海画报出版社
　　　上海市长乐路 672 弄 33 号
　　　邮政编码：200040

制版：上海精英彩色印务有限公司
印刷：上海出版印刷有限公司
经销：全国新华书店
开本：787 × 1092 1/12　印张：1
印数：0001-3200
版次：2001 年 12 月第 1 版　2001 年
　　　12 月第 1 次印刷
书号：ISBN 7-80530-844-6/J・845
定价：12 元

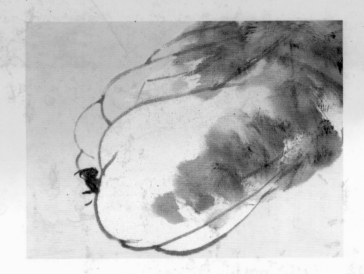

ISBN 7-80530-844-6

9 787805 308449 >

ISBN7-80530-844-6

J·845　定价：12元

名家精品◎钱瘦铁山水册

SH 上海画报出版社

青山欲共高人语

了庐

钱瘦铁先生生前自谓"平生以书第一，印第二，画第三"。昔年在梅景书屋，闻吴湖帆先生云："当代可谓书家者，帖学以白蕉先生为第一，兼其诗品及画兰之品，气清格高。碑学以钱瘦铁先生为第一，兼其印学与画中笔性之圆劲而有疏野之气，均非他人可望尘及。奈何二位曲高和寡，世人有所不识。"

钱瘦铁先生作为入世性学者型的艺术家，为人磊落坦荡。当年其在日本，曾有侠义营救郭沫若先生安全回国的抗日爱国之举，在现代中国文化史上留下了动人的史迹。

钱瘦铁先生"以书入画"，是现代典型书、印、画三绝的文人画家。其兴之所至，块磊撑肠，纵横在手，以其强悍雄健的遒劲之笔，随处生发，一气呵成，所写之物奇崛而富有生命力。先生用笔胜用墨，以线条为主，圆劲而又生拙凝重。观其画，似可闻运笔之余音沙沙，不绝于耳。偶尔用色，则更大胆泼辣，喜用鲜艳明亮的原色大块涂抹，尤似西方后期印象派大师的简赅奇特，令人耳目一新。当年刘海粟、石鲁、谢之光、朱屺瞻辈极为推崇，时有仿效。一九五七年四月，先生入陕川写生，经西安，石鲁先生见之，大为惊骇，为之倾倒，即向先生顶礼问学。先生画，尤其对谢之光、朱屺瞻等后来的中国画创新产生过直接的影响。

钱瘦铁先生作为文人画家，以其学养直抒心境之作，是典型的文化性大于绘画性的文人画，但在多年来中国画中传统文化精神不振的情况下，就难为注重绘画性的人们所认识和重视，这是一个时代的遗憾，但也只是一个时代的遗憾。从历史发展的宏观来说，先生注重学养，注重用笔、笔性，注重民族文化精神的高雅艺术作品，却正是有志于弘扬民族文化的后学者最好的学习范例和良师。

与钱瘦铁先生同时的张大千、谢稚柳、唐云等师法石涛，唯先生与众不同，注重用笔、笔性，"线条圆劲、气息疏野"而以神胜。先生平生酣畅之作以大画见多见长。此《山水册》据藏家王克勤先生言"为先生生命之绝笔"，虽尺幅小如巴掌，而写黄岳、长江心境之豁达，笔墨法度之严谨，一丝不苟，神形俨然。青山欲共高人语，非高人不足以识。人之将亡，而心神不乱，亦见先生一生为人为艺磊落坦荡。

读先生画，犹如读稼轩词，豪放疏野，足以补气养身，故吾愿为之序。先生名厓，字叔厓，号瘦铁、一八九六年生于无锡，一九六七年病逝于上海，享年七十二岁。生前为上海中国画院画师。

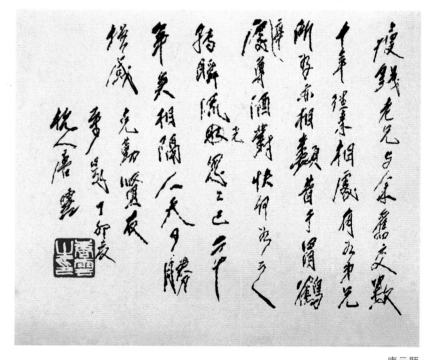

唐云题

(画心纵12.5厘米,宽16厘米)